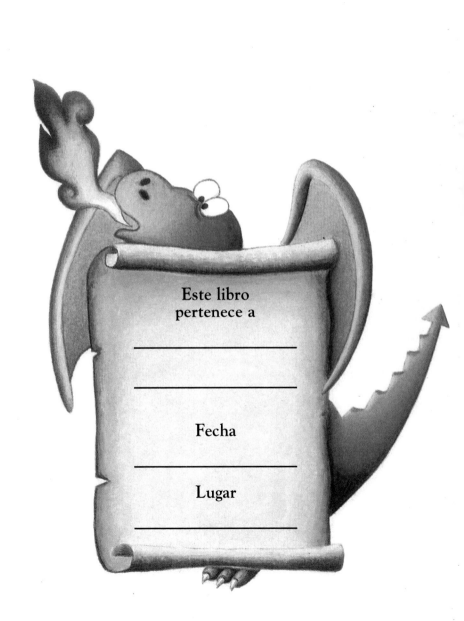

**Este libro
pertenece a**

_____

_____

Fecha

_____

Lugar

_____

EL REY

Y

LOS BORREGOS

© D. R. 1999, EDICIONES CORUNDA, S. A. DE C. V.
  Oaxaca 1, San Jerónimo Aculco
  Delegación Magdalena Contreras
  10700 México, D. F.

Coedición: CONSEJO NACIONAL PARA LA CULTURA Y LAS ARTES
DIRECCIÓN GENERAL DE PUBLICACIONES/EDICIONES CORUNDA, S. A. DE C. V.

ISBN: 970-18-3041-5 Consejo Nacional para la Cultura y las Artes
ISBN: 968-7444-45-2 Ediciones Corunda, S. A. de C. V.

Impreso en México/*Printed in Mexico*

El rey
y
los borregos

Texto de

TERE REMOLINA

Ilustraciones de

FABIOLA GRAULLERA

ECO

CONACULTA

Para Geoffrey y Tábitha,
Lucero y Estrella

Éste era un rey que tenía muchos borregos.
Unos blancos y otros negros.

Un día, cansado ya de cuidar tantos borregos
decidió venderlos. Puso un gran letrero en una
de las ventanas del palacio en el que decía: "Se
venden borregos blancos y negros en perfectas
condiciones de salud y que comen poco".

Pero nadie del reino vino a preguntar por los borregos porque todos los habitantes de aquel lugar tenían borregos blancos y negros.

Entonces, el rey decidió poner un anuncio en la entrada del reino que decía: "Se venden borregos blancos y negros. El que los compre podrá aspirar a la mano de la princesa Martina".

Algunos extranjeros animados con la idea de ser dueños algún día de ese reino habían tratado de comprar los borregos pero el precio que el rey pedía era tan alto y la princesa Martina tan poco agraciada que nadie se animaba a pagarlo.

Y no es que la princesa tuviera algún defecto notable, sólo que su cara tenía gran parecido con la de los borregos, y su pelo estaba tan enredado que más que cabello parecía lana.

Un día acertó a pasar por allí un labriego que no tenía dinero. Su parcela apenas si le daba para comer; sin embargo, lo que tenía de pobre lo tenía de astuto y pensó que no estaría mal contar con algunos borregos para aumentar su patrimonio.

Cuando conoció a la princesa, no le pareció bonita; pero como él tampoco se consideraba guapo, pensó que podía casarse con ella a cambio de tener un día aquel reino tan floreciente.

Con el poco dinero que poseía se compró un traje, aunque no muy fino, sí de buen ver. Se bañó, se arregló y se presentó en palacio diciendo que era príncipe de una tierra lejana, que se había enterado de la venta de los borregos y quería comprarlos al precio que el rey pidiera y, por supuesto, estaría encantado de casarse con la princesa Martina.

Le explicó al rey que, cuando iba por
el camino, unos forajidos lo habían asaltado.
Le robaron los presentes que traía para él
y la princesa, y desaparecieron a su séquito
por lo que, en esos momentos, lo veían solo.
Dijo que ya había mandado a un mensajero
con su padre y que éste le enviaría ropa y
dinero para pagar los borregos.

El rey lo recibió con agrado, le prestó
algunos trajes y le pidió que, mientras llegaba
el dinero, se quedara en palacio a vivir con ellos.

Y así, el tiempo pasó y la princesa Martina se enamoró del labriego.

Cuando el rey preguntaba qué había pasado con el dinero, el muchacho respondía que su reino quedaba tan lejos que seguramente aún no llegaba el mensajero.

Un día, por fin, el rey pensó que todo era una mentira y que ese hombre lo venía engañando.

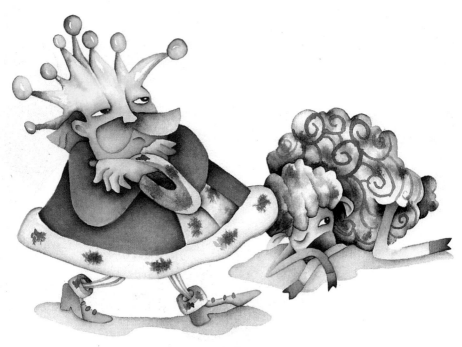

Así que lo llamó a solas y le dijo que si en una semana no llegaba el dinero tendría que irse del palacio. El labriego se hizo el ofendido y pidió al rey permiso para retirarse e ir hasta su reino a buscar el dinero.

Cuando la princesa Martina se enteró de que su príncipe iba a partir, empezó a llorar, llorar y llorar de tal modo que sus cabellos se fueron haciendo más y más lanudos, y sus ojos cada día parecían más de borrego por lo hinchado y lo rojo.

El labriego solicitó entonces al rey que le permitiera casarse con la princesa porque la amaba y, así, ella lo podría acompañar en su viaje.

El rey se opuso pues cada vez estaba más seguro del engaño, pero al ver a la princesa en tal estado y sabiendo, además, las pocas posibilidades que tenía de vender sus borregos y de casar a su hija no tuvo más remedio que acceder a la petición.

Antes de partir, la princesa pidió a su padre unos borregos como dote y el rey se los dio.

En el camino, el labriego le confesó a
la princesa la verdad y aunque ella se sintió
molesta, como lo amaba, lo perdonó.

El labriego trabajó duro y con los borregos
que el rey le había dado formó un gran rebaño
de borregos blancos y negros.

Al cabo del tiempo el labriego y la princesa
tuvieron dos hijos; ambos, por supuesto, con
cara de borrego.

Cuando el rey murió, heredaron el reino,
aumentaron el número de borregos blancos
y negros y vivieron muy felices.

EL REY Y LOS BORREGOS
se terminó de imprimir en
los talleres de X Pert Press, S. A. de C. V.,
Oaxaca 1, esquina Periférico Sur,
San Jerónimo Aculco,
Delegación Magdalena Contreras,
10700 México, D. F.,
en el mes de agosto de 1999,
con un tiraje de 4000 ejemplares.